Elisabeth Munts

Das Lasagne-Desaster

Einladung zum Essen, Termine,
Sitten und Essgewohnheiten

Deutsch als Fremd- und Zweitsprache
A1.1

Ernst Klett Sprachen
Stuttgart

Infos + Übungen zu Deutsch im Alltag
→ S. 40 – 43.

 Infos + Übungen zu Sprache und
Grammatik → S. 44 – 48.

 Audio, Lösungen, weitere Infos +
Übungen → online.
Einfach mit der App **Klett Augmented**
für Smartphone und Tablet scannen.
www.klett-spachen.de/augmented

1. Auflage   1 6 5 4 3 2 | 2021 20 19 18 17

Redaktion: Carina Janas
Layoutkonzeption: Maja Merz
Zeichnungen: Friederike Ablang, Berlin
Satz: Eva Lettenmayer, Gerlingen
Umschlaggestaltung: Maja Merz
Druck und Bindung: AZ Druck und Datentechnik GmbH, 87437 Kempten /
Allgäu
Tonregie und Schnitt: Andreas Nesic, custom music, Stuttgart
Sprecher: Julia Dahlinger, Johannes Lange, Elisa Taggert

Printed in Germany

ISBN 978-3-12-674915-2

9 783126 749152

Inhalt

die Gewürze

der Kühlschrank

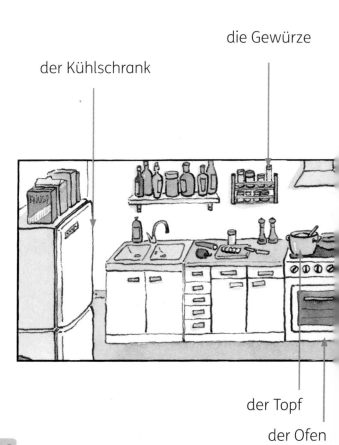

der Topf

der Ofen

Vokabeltrainer + Audio online.

der Tisch   die Tür

der Stuhl

der Teller

das Besteck

Sonja Weber

27 Jahre alt

kommt aus Deutschland

kocht gern

Anita Kori

29 Jahre alt

kommt aus Indien

lernt gern Deutsch

Rajesh Kori

32 Jahre alt

kommt aus Indien

spielt gern Gitarre

Amit Kori

4 Jahre alt

kommt aus Indien

spielt gern mit Autos

die Linsen

 das Obst

 das Brot

 Sonja ist **nett**.

 Sonja ist **traurig**.

 Das Glas ist **voll**.

 Das Glas ist **leer**.

 klingeln

Vokabeltrainer + Audio online.

8

Ich heiße Sonja Weber.

Ich bin 27 Jahre alt und komme aus Dresden. Jetzt wohne ich in Wörrstadt, das ist bei Mainz. Meine Wohnung ist klein, aber sie ist schön.

Ich wohne allein.

Die Wohnung neben mir ist leer.

Heute bekomme ich neue Nachbarn.

Ich hoffe, es ist eine nette Familie!

Audio online. Scannen und hören.

▶ S.44

Ich habe Glück!

Familie Kori ist sehr nett.

Sie klingeln an meiner Tür

und stellen sich vor.

Meine neuen Nachbarn heißen Anita und

Rajesh Kori. Sie haben einen Sohn: Amit.

Sie sind ganz neu in Deutschland.

Sie kommen aus Indien.

 Herzlich Willkommen in

Deutschland! Ich bin Sonja.

Schön euch kennenzulernen.

Wenn ihr Fragen habt,

helfe ich euch gern.

Familie Kori hat viele Fragen:

Wie komme ich zum Supermarkt?

Was heißt das auf Deutsch?

Wo ist die Ausländerbehörde?

Warum kann ich am Sonntag

nicht einkaufen?

Wann ist der Deutschkurs?

Wer kann das Internet installieren?

Ich helfe Familie Kori gern.

Info + Übung zu **Fragen** online.

Eine Woche später.

Ich treffe Anita
im Supermarkt.

Hallo Sonja,

kannst du mir helfen?

Hallo Anita! Was ist los?

Wo ist das Obst?

Wo finde ich das Brot?

Und wo stehen die Linsen?

▶ S.40

Komm mit, ich helfe dir.

Danke für deine Hilfe, Sonja!

Ich lade dich heute Abend

zum Essen ein. Um 8 Uhr.

Ich koche für dich.

Oh, super! Das ist nett.

Danke, ich komme gern!

Dann bis später!

Ich freue mich.

Essen bei Familie Kori!

die Gabel

 der Löffel

 die Gewürze

 kochen

 denken

 Das Eis ist **kalt**.

 Der Tee ist **heiß**.

 Die Chili ist **scharf**.

Vokabeltrainer + Audio online.

Mein Hobby ist kochen.

Ich liebe kochen!

Aber heute koche ich nicht.

Heute esse ich bei Familie Kori.

Wir essen um 8 Uhr.

Fünf Minuten vor 8

Ich klingle bei Familie Kori.

Rajesh öffnet die Tür.

 Hallo Sonja!

Hallo Rajesh!

Ich komme zum Essen.

Es ist 8 Uhr.

Audio online. Scannen und hören.

Rajesh lacht:

Du bist zu früh!

Aber du kannst gern reinkommen.

▶ S.41

Anita erklärt:

Ich sage um 8, aber das heißt

halb 9. In Indien ist das normal:

Man kommt eine halbe

Stunde später. Oder mehr.

Info + Übung zur **Uhrzeit** online.

▶ S.44

 Oh. Ich bin viel zu früh!

Ich kann auch später kommen...

Nein, nein. Das ist kein Problem.

Du kannst gern bleiben.

Ich spiele eine halbe Stunde mit Amit.

Dann ist das Essen fertig.

Halb 9

Das Essen ist braun-orange.

Es riecht sehr gut! Aber ich kenne es nicht.

Ich frage Anita:

Was ist das?

Das ist Dal. Dal sind Linsen

mit vielen Gewürzen.

Und dazu essen wir Chapati,

das ist Brot aus Indien.

Dal-Rezept online. Guten Appetit!

▸ S.46

Wir sitzen am Tisch. Mein Teller ist voll.

Aber ich sehe keine Gabel und keinen

Löffel. Wie soll ich essen?

Wo ist das Besteck?

Wir essen ohne Besteck.

Das Brot ist der Löffel.

▸ S.43

Oh.

Das ist nicht leicht.

Möchtest du einen

Löffel haben?

Ja, vielen Dank.

Ich esse Dal mit dem Löffel.

Es ist lecker, ich esse schnell.

▶ S.45

Aber plötzlich tut mein Mund weh.

Hilfe, das ist scharf! Ich kann nicht denken.

Alles ist heiß und mein Kopf ist rot.

 Anita, gibst du mir bitte

ein Glas Milch?

 Gern. Hier bitte.

Ah, viel besser! Danke.

Ich trinke Milch und esse

Chapati. Langsam ist

mein Kopf wieder normal.

▶ S.43

 Sonja, möchtest du noch Dal?

Ich denke: Das ist zu scharf für mich.

Ich will nicht noch mehr essen.

Nein, danke.

Ich esse nichts mehr.

Später spielt Rajesh

ein Lied auf der Gitarre.

Das ist sehr schön.

Am Ende sage ich:

 ▶ S.40

Danke für die Einladung!
Nächste Woche möchte ich
euch zum Essen einladen.
Dann kann ich für euch kochen.
Wollt ihr am Samstag um 8 Uhr
zu mir kommen?

Sehr gerne!

Sehr spät gehe
ich nach Hause.
Der Abend war
lang und schön.

Info + Übung zur **Woche** online.

die Lasagne

 die Soße

 der Alkohol

 die Backform

 ein Glas Wein

 gehackte Zwiebeln

 anbraten

 streuen

Am nächsten Samstag

Heute koche ich für Familie Kori.

Aber nicht scharf! Ich weiß auch schon,

was ich koche: Italienische Lasagne!

Mittags kaufe ich alle Zutaten:

500 g Hackfleisch
1 Zwiebel
1 Dose Tomaten
1 Packung Lasagneplatten
1 Packung Käse
Salz und Pfeffer

Audio online. Scannen und hören.

Ich lese das Rezept, es ist nicht schwer:

> **Lasagne-Rezept**
> • Braten Sie 500 g Hackfleisch an.
> • Geben Sie eine gehackte Zwiebel und Tomaten dazu.
> • Kochen Sie die Soße eine halbe Stunde.

Ich koche die Soße. Noch Salz und Pfeffer dazu. Jetzt schmeckt sie perfekt!

Lasagne-Rezept online. Guten Appetit!

Dann bereite ich die Lasagne vor.

▶ S.45

- *Geben Sie etwas Soße in eine Backform.*
- *Legen Sie Lasagneplatten darauf.*
- *Wiederholen Sie das, bis die Form voll ist.*

Ich fülle die Backform:

Soße, Lasagneplatten, Soße, Lasagneplatten,

Soße, Lasagneplatten, Soße.

Jetzt ist die Form voll.

- *Streuen Sie Käse auf die Lasagne.*
- *Backen Sie die Lasagne 40 Minuten im*
  Ofen bei 180°.

Info + Übung zu **Rezepten** online.

Ich koche den ganzen Nachmittag.

Dann ist die Lasagne fertig.

8 Uhr

Familie Kori kommt nicht.

Ich warte.

Ich warte sehr lange.

Halb 9

Es klingelt an der Tür.

Familie Kori ist da.

 Wir sind nicht in Indien!

Ich warte schon eine

halbe Stunde!

Oh, Entschuldigung.

Wir wissen das nicht.

Wir wollen nicht unhöflich sein.

Wann kommt man in Deutschland?

▶ S.41

 Maximal 10 Minuten

zu spät ist okay.

Oh nein,

dann sind wir viel zu spät!

Ich muss lachen.

 Kommt rein,

jetzt können wir essen.

Das ist Lasagne. Guten Appetit!

Ich beginne zu essen.

Aber Familie Kori isst nicht.

 Ist alles okay?

Schmeckt die Lasagne?

Sonja, ist die Lasagne mit Fleisch?

Guten Appetit! **Info** zu **Wünschen** beim Essen online.

Ja, in der Lasagne ist Hackfleisch. Warum?

ⓘ ▸ S.43

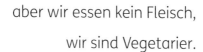 Es tut mir leid, aber wir essen kein Fleisch, wir sind Vegetarier.

Oh, das wusste ich nicht. Und der Wein? Schmeckt er? Er kommt aus Italien.

Es tut mir leid, Sonja. Wir trinken

auch keinen Alkohol.

Oh. Ich mache alles falsch!

Das tut mir leid.

Ich bin traurig.

Ich mache so viele

Fehler! Der Abend

ist zu Ende.

Wir haben noch Dal,

das können wir essen.

Entschuldige, Anita.

Dal ist zu scharf für mich.

Ich kann das nicht essen.

▶ S.43

Rajesh hat eine Idee:

 Sonja, wir gehen in unsere
Wohnung und essen Dal.
Wollen wir nächste Woche
zusammen essen?

Hmm... ja, das ist gut.
Ich koche noch einmal!
Aber etwas anderes.
 Und ich bringe einen Kuchen mit.

Die Koris gehen nach Hause.

Ich esse Lasagne und trinke etwas Wein.

Dann gehe ich schlafen.

die Suppe

 die Kartoffeln

 das Gemüse

 der Apfelkuchen

 ein Glas Saft

 Das Essen ist **lecker**.

Vokabeltrainer + Audio online.

Eine Woche später

Ich koche eine Kartoffelsuppe.

Wasser, Kartoffeln, Gemüse,

das geht ganz leicht.

Die Suppe muss 30 Minuten kochen.

Ich probiere. Da fehlt noch etwas Salz!

Perfekt.

8 Uhr

Jetzt noch schnell Teller und Gläser

auf den Tisch stellen...

Es klingelt an der Tür.

Familie Kori ist da.

Aber ich bin nicht fertig!

Ich gehe an die Tür.

 Oh, hallo! Ihr seid aber früh.

Schön, dass ihr da seid, kommt rein

Warum kommt ihr heute so früh?

▶ S.41

Wir kommen heute deutsch

pünktlich, nicht indisch pünktlich!

Ich bringe Teller, Löffel und Gläser.

Jetzt können wir essen!

Die Suppe ist ohne Fleisch und nicht

scharf. Wir trinken Saft. Anita hat

einen Apfelkuchen gebacken.

Wir essen alle zusammen.

Das Essen ist sehr lecker.

Ein schöner Abend!

Kartoffelsuppe-Rezept online. Guten Appetit!

★ **Das Essen hat 2 Mal nicht funktioniert. Warum?**

☑ Sonja ist Vegetarierin.

☐ Sonja mag kein scharfes Essen.

☐ Familie Kori kommt nicht.

☑ Familie Kori isst kein Fleisch.

★ **Was kauft Anita im Supermarkt?**

☐ Fleisch, Saft, Chapati

☐ Obst, Brot, Linsen

☐ Kartoffeln, Käse, Wein

★ **Sonja isst Dal. Das ist scharf. Was trinkt sie?**

Ein Glas...

☐ Saft   ☐ Wein   ☑ Milch   ☐ Wasser

⭐ Warum kommt Familie Kori zu spät?

☐ Sie vergessen die Einladung.

☑ Das ist in Indien normal.

☐ Sie kochen Dal.

⭐ Was passt?

Nachbarn   freundlich

Gitarre   Wohnung

Lasagne   wütend   Dal   Autos

Sonja bekommt neue __Nachbarn__.

Anita kocht __Dal__.

Rajesh spielt __Gitarre__.

Familie Kori kommt zu spät. Sonja ist

__freundlich__.

Lösungen zum Quiz online.

Einladung

Eine Einladung zum Essen ist schön!

So antworte ich auf die Einladung:

✓ *Ja, ich komme.*

✗ *Es tut mir leid, ich kann nicht kommen.*

Ich werde nicht 2 oder 3 Mal gefragt.

Ich kann etwas mitbringen:

Eine Flasche Wein oder ein kleines Geschenk.

Manchmal kocht nur der Gastgeber,

manchmal helfen die Gäste.

Bei der Frage *Möchtest du noch mehr?*

antworte ich: ✓ *Ja, gerne.* ✗ *Nein, danke.*

Ich kann auch selbst fragen:

Kann ich noch etwas Saft / Suppe /... haben?

★ Was antworten Anita (√) und Rajesh (X)?

 Möchtet ihr morgen zum Essen zu mir kommen?

☐ Ich komme! Wann soll ich da sein?

☐ Nein, ich habe leider einen Termin.

☐ Tut mir leid, morgen kann ich nicht.

Pünktlich sein...

... ist in jedem Land anders wichtig.

In Deutschland ist es wichtig.

Aber: Pünktlich ist nicht gleich pünktlich!

Ein **Termin** beim **Arzt** oder bei

der **Ausländerbehörde** ist sehr wichtig!

Ich darf nicht später kommen.

Audio + Lösungen online.

Ein **Treffen mit Freunden** ist auch wichtig. Aber: Wenn ich 15 Minuten später komme, ist das okay. Wenn ich später komme, rufe ich an und sage *Ich komme später!*

★ Ist das in Deutschland pünktlich?

- ☑ Anita lädt Sonja zum Essen um 20:00 Uhr ein. Um 20:05 Uhr klingelt Sonja an der Tür.

- ☒ Rajeshs Deutschkurs beginnt um 8:30 Uhr. Er kommt um 9:00 Uhr in den Kursraum.

- ☒ Anita hat um 15:00 Uhr einen Termin beim Arzt. Sie kommt um 15:15 Uhr in die Praxis.

Audio + Lösungen online.

Essen

Essen ist persönlich. Essen ist individuell.

 Der eine isst gern scharf.

Der andere nicht.

 Manche Menschen essen kein Fleisch,

aus moralischen oder religiösen Gründen.

Andere essen sehr gern Fleisch.

 Es gibt Menschen, die trinken keinen

Alkohol. Andere trinken Alkohol.

 Manche Menschen essen mit Stäbchen.

 Andere Essen mit den Händen.

 Und wieder andere essen mit Besteck.

Regelmäßige Verben im Präsens

	gehen	sagen	kochen	Regel
ich	gehe	sage	koche	~~-n~~
du	gehst	sagst	kochst	-~~en~~, + st
er/sie/es	geht	sagt	kocht	-~~en~~, + t
wir	gehen	sagen	kochen	=
ihr	geht	sagt	kocht	-~~en~~, + t
sie/Sie	gehen	sagen	kochen	=

Modalverben können und wollen

can   want

	können	wollen	Regel
ich	kann	will	-~~n~~, (ö > a, o > i)
du	kannst	willst	-~~en~~, + st (ö > a, o > i)
er/sie/es	kann	will	-~~en~~, + t (ö > a, o > i)
wir	können	wollen	=
ihr	könnt	wollt	-~~en~~, + t
sie/Sie	können	wollen	=

Adjektive

Fragen mit **wie** beantworte ich mit Adjektiven.

> Wie geht es dir?
>
> Mir geht es heute **gut / schlecht**.
>
> Wie schmeckt das Essen?
>
> Es ist **lecker / scharf**.
>
> Wie fühlst du dich?
>
> Ich bin **wütend / glücklich**.

Imperativ

	Imperativ (du)	Imperativ (ihr)	Imperativ (Sie)
gehen	Geh**!**	Geh**t!**	Gehen **Sie!**
stellen	Stell**!**	Stell**t!**	Stellen **Sie!**
geben	Gib**!**	Geb**t!**	Geben **Sie!**
Regel	du-Form -s̶t̶ + !	Infinitiv -e̶n̶ + t!	Infinitiv + Sie!

Negation

Wenn etwas nicht da ist, sage ich:
kein (das) **keine** (die) oder **keinen** (der).

das Fleisch:
Heute gibt es **kein** Fleisch.

die Gabel:
Ich sehe **keine** Gabel.

der Kaffee:
Ich trinke **keinen** Kaffee.

★ **Was passt zusammen?**

gut — heiß

lecker

schlecht

kalt

leer

voll — eklig   disgostu

Lösungen online.

⭐ **Was ist die richtige Form? Setze ein.**

Sonja _bekomme_ (bekommen)

eine Einladung zum Essen.

Sie _freut_ (freuen) sich sehr.

Sie sagt: „Ich _komme_ (kommen)

pünktlich!" Um 8 Uhr _geht_ (gehen) sie

zu Familie Kori und _klingelte_ (klingeln) an

der Tür. Aber die Koris sind noch nicht fertig!

⭐ **Setze kein, keine, keinen ein.**

Ich sehe ___Keine___ Gabel. _die_

Ich trinke ___keinen___ Alkohol.

Ich koche ___keine___ Suppe. _die_

Es gibt ___Kein___ Besteck.

⭐ **Forme die Imperative um.**

Kommt rein!

-> (du) **Komm rein!**

Klingel einfach an der Tür!

-> (ihr) *Kling*

Iss noch etwas!

-> (Sie) *essen ?*

Stellt bitte die Gläser auf den Tisch.

-> (du) *stell*

Einfach loslesen! Weitere Titel:

Yalla Tarek!

4 Zimmer, Küche, Bad

www.klett-sprachen.de/einfach-loslesen

Lösungen online.